ADIVINHAS

PESSOAS

Ciranda Cultural

PESSOAS

1. O que recepcionista das cadernetas de poupança não faz?
2. O que a gente perde e não pode falar para ninguém?
3. Qual o lugar mais longínquo atingido por Judas?
4. O que a mulher tem mais que o homem?
5. Qual apresentador serve chá?
6. O que o Cebolinha faz quando dorme?
7. Quem pode ver no escuro?

Respostas: 1. Não poupa sorrisos; 2. A voz; 3. Onde ele perdeu as botas; 4. Uma letra; 5. Fábio Por-Chá; 6. "Lonca"; 7. Quem tem uma lanterna.

PESSOAS

8. Qual a primeira coisa que um bebê esquimó aprende a falar?

9. Qual a primeira coisa que o bebê do lenhador aprendeu a falar?

10. O que é no braço, mas dói no coração?

11. Quais as três ferramentas do gaúcho?

12. Qual rapper estaciona carros?

13. Qual o país que o Renato Aragão mais gostou de visitar?

Respostas: 8. "Iglu dá-dái"; 9. "Ma-madeeeeiraí!"; 10. A dor de cotovelo; 11. "Serro-tchê", "alica-tchê" e martelo, porque "ba-tchê"; 12. Mano Brista; 13. Didi-namarca.

PESSOAS

14. Quando é que alguém pode ser comparado a uma vela?

15. O que o cirurgião e o matemático têm em comum?

16. O que o aluno fala para a professora e gosta de receber dos pais?

17. Qual ator americano trabalha no posto de gasolina?

18. O que tem muito no planeta Terra, mas tem muito também no corpo humano?

19. Qual a doença de quem está no tribunal?

20. Quem é a mãe dos temperos?

Respostas: 14. Quando tem pavio curto; 15. Ambos vivem fazendo operações; 16. Presente; 17. O Vin Diesel; 18. A água; 19. "réu-matismo"; 20. "Mãe-gericão".

PESSOAS

21. Por que todo palestrante sempre cumpre os seus compromissos?

22. Qual é o pintor famoso que gosta muito de cor de rosa?

23. Quais são os dentes que aparecem por último?

24. Quando é que um homem pode ser comparado a um grande número de carros?

25. Por que todo fotógrafo se amarra em pessoas convencidas?

26. Quando um conde, num julgamento, se sente rebaixado?

27. Como fazer uma visita inesperada ir embora?

Respostas: 21. Porque ele é um homem de palavras; 22. Pablo "Pinkasso"; 23. Os dentes postiços; 24. Quando seu sobrenome é "Frota"; 25. Por que elas vivem fazendo pose; 26. Quando é condenado; 27. É só desligar o wi-fi.

PESSOAS

28. Qual homem precisa de fazer a barba várias vezes ao dia?

29. Qual é o resultado da mistura do Homem Invisível com um hipopótamo?

30. Por que o segurança ganha todas as corridas?

31. O que fica cada vez mais próximo do chão conforme cresce?

32. O que um instrutor de auto escola foi fazer em um show de forró?

33. Quando o mentiroso mais precisa de um martelo?

34. Por que o soldado do exército se camufla de verde?

Respostas: 28. O barbeiro; 29. Um imenso nada; 30. Porque segurança vem em primeiro lugar; 31. O cabelo; 32. Ensinar o Frank Aguiar; 33. Quando vai pregar suas mentiras; 34. Porque aí só dá pra ver-de-perto.

PESSOAS

35. **Quem é que está com o livro e não abre?**

36. Por que as pessoas compram briga?

37. Qual o sobrenome que o vento faz?

38. Quem paga para suar a camisa?

39. Qual é a apresentadora que gosta de axé?

40. Como dorme o guloso?

Respostas: 35. Quem não gosta de ler; 36. Porque hoje em dia nada é de graça; 37. Silva; 38. Frequentadores de academia; 39. Cristina Arrocha; 40. De boca aberta.

PESSOAS

41. **Qual o nome do ator americano que foi para o espaço?**

42. Qual é o nome da arquibancada de um time santista?

43. Quem é a cantora que ri bastante?

44. O que o cliente disse quando descobriu que tinha comprado óculos sem lentes?

45. Em que tipo de loja pessoas detalhistas se sentem à vontade?

46. Quando o filho de um puxa-saco é infeliz?

47. O que significa quando uma pessoa sempre encontra uma moeda no mesmo lugar?

Respostas: 41. Steve Martin; 42. Geraldo Santos; 43. Ri-hanna; 44. "Isso não passa de uma armação!"; 45. Em loja de miudezas; 46. Quando não tem a quem puxar; 47. Uma coin-cidência.

PESSOAS

48. Como a namorada do marinheiro fica quando ele vai trabalhar?

49. O que o sapo disse para o Bob Marley?

50. Qual ator queria abrir uma floricultura?

51. Que tipo de garota usa rabo de cavalo?

52. Por que o homem sempre deixa seus óculos na escada?

53. Qual é o prato favorito da pessoa gulosa?

Respostas: 48. Fica a ver navios; 49."Reggae! Reggae!"; 50. Tony Ramos; 51. As que adoram passar trote; 52. Porque são óculos "de-grau"; 53. O prato cheio.

PESSOAS

54. Qual o nome do homem que diz que a gente deve amar uma flor?

55. Um homem está acamado, doente; sua mulher está ao seu lado, zelando por ele. Qual o estado do homem?

56. Qual é o resultado da mistura do Conde Drácula com alguém que adora o grupo BTS?

57. O que o Faustão disse quando estava na floresta acompanhando a Chapeuzinho Vermelho?

58. Qual o apresentador que tem um bom olfato?

59. Que espécie de pessoa tem coragem de dizer: – "O que vem de baixo não me atinge!"?

60. O que se pode levantar com os braços, mas não se pode levantar com as mãos?

Respostas: 54. Amaro Cravo; 55. Casado; 56. Um fã-piro; 57. "O lobo, meu!"; 58. Rodrigo Faro; 59. Alguém que nunca sentou em cima de um formigueiro; 60. Os ombros.

PESSOAS

61. Qual é a cantora que não se adapta ao meio urbano?

62. O que o motorista faz quando briga com alguém?

63. O que muda na vida de um militar que se casa?

64. Quem se arrisca a quebrar a cama quando se deita?

65. Qual é a rede social preferida de quem é vegetariano?

66. Qual o nome da cantora que adora tomar chá?

67. O que é um tutor correndo atrás de um cão?

Respostas: 61. Vanessa da Mata; 62. Não lhe dirige a palavra; 63. O estado civil; 64. Quem tem sono pesado; 65. O "Alfacebook"; 66. Chá-kira; 67. Uma "persegui-cão".

PESSOAS

68. Qual é o único oceano que não é perseguido pela polícia?

69. Por que o palhaço de circo usa suspensório vermelho?

70. Como o Batman faz para que a bat-caverna se abra?

71. Qual parte do corpo não possui matéria?

72. Qual é o bolo preferido do Chorão?

73. Qual modelo tem uma gráfica?

Respostas: 68. Oceano Pacífico; 69. Para a calça não cair; 70. Ele bat-palma; 71. O "só-vácuo"; 72. O Brownie; 73. Gisele Print-chen.

PESSOAS

74. Qual é o ar preferido dos baianos?

75. Qual atriz que nunca vai ter a voz feia?

76. **Qual é a esperança das pessoas com baixa visão uma vez por ano?**

77. Qual o super-herói favorito de quem ama fazer compras?

78. Como se chama o dente a quem uma pessoa pode contar todos os seus segredos?

79. Qual o nome da irmã do Garfield?

80. O que a gente dá sem saber e se soubesse não daria?

Respostas: 74. O "ar-carajé"; 75. A Débora Falabella; 76. É que depois da primavera, VERÃO; 77. O supermercado; 78. P'Confi-dente"; 79. Colherfield. 80. Um tropeção.

PESSOAS

81. O que uma pessoa de grande estatura mais gosta de fazer quando dorme?

82. Qual a mulher que adora dormir e atrai peixes?

83. Onde o Super-Homem compra sua comida?

84. Por que o míope não pode ir ao zoológico?

85. Qual o dente que governa os outros?

86. Por que o cabeludo jogou o xampu pela janela?

Respostas: 81. Sonhar alto; 82. A dorminhoca (dor-minhoca); 83. No supermercado; 84. Porque ele usa lente divergente (= de ver gente); 85. O "presi-dente"; 86. Porque era xampu anti-queda

PESSOAS

87. Por que o homem saudável é um debochado?

88. O que é uma mangueira?

89. Qual o tipo de conversa que todo comerciante detesta?

90. Quem já nasceu no prejuízo?

91. Quem acha que teve um ano horrível?

92. Em que mês as pessoas falam menos?

93. Com quem o Papai Noel é casado?

Respostas: 87. Porque ele goza de boa saúde; 88. Uma senhora que vende mangas; 89. Conversa fiada; 90. O Sr. Furtado; 91. Keanu Horrível; 92. Em fevereiro, porque é o mês mais curto do ano; 93. Com a Mary, Mary Christmas.

PESSOAS

94. O que deve fazer uma pessoa que sente dor no coração?

95. Quem são os detetives que gostam de fazer trilha?

96. Qual a parte do corpo que está sempre ligada?

97. **Por que as pessoas se sentam na última fileira do cinema para assistir a um filme de comédia?**

98. O que é seu, mas as outras pessoas usam mais do que você?

99. Quem é capaz de descobrir as dores dos doentes?

100. Qual parente protege alguém da garoa?

Respostas: 94. Deve fechar os olhos. "Porque o que os olhos não veem o coração não sente."; 95. Cam-pistas; 96. O "ON-bro; 97. Porque quem ri por último ri melhor; 98. O seu nome; 99. O "caça-dor"; 100. A sombrinha (= sobrinha).